KB075048

슬픔의 단어들은 죽는다

슬픔의 단어들은 죽는다

강준모 시집

시인의 말

    술을 만들 때 고두밥이 바람을 쐬듯 시의 체온을 냉정하게 식힐 필요가 있었다. 그 작업을 몇 번을 거쳐서 시도하고 고쳐 쓰고 했다.

    시들이 다시 소집되고 복장을 갖추었을 때, 새로운 언어로 발효되기를 기대한다. 개인의 상처와 일상의 언저리에서 멀리 나아가지 못하고 서성이는 마음이 일말의 보편적 공감이 되기를 바란다.

2023년 6월
강준모

차 례

● 시인의 말

제1부 외진 곳을 찾아서

미니벨로 ——— 12

부부 세탁소 ——— 14

날개 달린 벽 ——— 15

바람의 문신 ——— 16

뼛속에 박힌 연필심 ——— 18

장인 ——— 20

여름 바둑 ——— 22

왼손으로 ——— 23

경배의 머리 ——— 24

슬픔의 단어들은 죽는다 ——— 26

달을 향해 망우터널로 ——— 28

백화점 ——— 30

건널목 ——— 31

양곤의 그늘 ——— 32

연탄 돼지 갈비집 ——— 34

유통기한 ——— 35

제2부 내가 본 풍경과 슬픔의 내력

중랑천 ——— 38

내일서 부는 바람 ——— 39

봄밤의 초과수당 ——— 40

숲속 도서관 ——— 42

고독에 모래주머니를 차다 ——— 43

채무자들 ——— 44

삼해주를 빚으며 ——— 46

까치밥 ——— 48

해당화 ——— 49

미사리 ——— 50

황금낮달맞이꽃 ——— 52

백합나무 ——— 54

서빙고 ——— 55

입추 ——— 56

꼬창 ——— 57

처서 ——— 58

명옥헌 ——— 59

제3부 사물과 내통하기

나비 ——— 62

용대리 ——— 63

거실에는 시간이 사는 어항이 있다 ——— 64

초파리와 나초칩 ——— 65

나무 인간 ——— 66

구해줘 홈즈 ——— 67

오래된 양복 ——— 68

Marking ——— 70

러닝머신 위의 시 ——— 72

타투 ——— 74

팬데믹에 걸린 집 ——— 76

등고선을 읽는 밤 ——— 78

나무의 온도 ——— 79

졸업사진 ——— 80

날개 빠진 셔틀콕 ——— 81

어떤 문상 ——— 82

삼각은 외롭다 ——— 84

제4부 오, 추억의 가족과 나

가을에 ——— 88

오래된 중력이 앉다 ——— 90

가족사진 ——— 92

동광 극장 ——— 93

11월 ——— 94

건어물집 누렁이 ——— 95

봉천동 ——— 96

어떤 계기 ——— 98

낮달 ——— 99

노란 참외 하나 ——— 100

낙타의 눈물 ——— 102

절반의 밥 ——— 103

신축생 ——— 104

절 ——— 105

생목의 결 사이로 ——— 106

▨ 강준모의 시세계 | 염선옥 ——— 111

제1부

외진 곳을 찾아서

미니벨로

베란다에 갇힌 바퀴는 바람이 빠져 있다

바퀴가 지루해서
제 갈 길로 간 모양이다
바람도 고양이처럼 목덜미를 만져주지 않으면
보이지 않는 틈으로 도망간다

무게가 바람의 이유이듯
바퀴는 굴러야만 바람을 잡을 수가 있다

서 있는 바퀴는
창문 너머 바람이 유혹하므로
바람난 바람은 틈이 없는 틈을 찾아
탈출했다

물렁한 바람이 손에 잡힌다
바퀴에 오래 머물다 보면
자기가 바퀴라고 생각하는 바람도 있다

* 미니벨로: 바퀴가 작고 반으로 접을 수 있는 자전거.

부부 세탁소

아파트 단지를 돌면서 세탁, 세탁, 소리치다가 저녁노을을 부르는 일은 이제 하지 않아도 되겠습니다 이 집은 주름에 대한 남다른 애정이 있겠습니다 가끔은 세상 기름 먹은 주름이 맞짱 뜨지만 다음날이면 각자가 반듯합니다 통장과 현금을 관리하는 그녀가 현금지급기로 간 사이, 그는 돈통에서 지폐 몇 장 슬쩍하고 입을 오버로크처럼 닫습니다 그녀는 오토바이를 타지 못해 어깨에 주름을 메고 배달갑니다 거리의 주름들은 모른 체 할 때가 많습니다 그렇다고 마음에 주름질 일은 아니지요 그는 모든 주름에다 꼬리표를 닫니다 꼬리표는 물세탁에도 건재한 주름의 질긴 이름입니다 주름이 세상을 세우는 건지 세상이 주름을 잡는 건지 이 집 주름은 사계절 꽃처럼 피었다 집니다 세월은 흘러 주름은 어느덧 피가 돌고 밥이 되었습니다 오늘도 스팀다리미는 주름을 먹으며 주름 위를 달립니다만 정작 그네들의 바지에는 주름이 없습니다

날개 달린 벽

페인트공은 중력에 매달려
벽을 칠한다
그의 직장은 바람 위에 지은 허공
그 위로 중력을 비운 구름이 떠 있다
막대 의자는 밧줄에 팽팽히 맞서고

검은 새 한 마리,
바람을 끌며 벽 너머로 날아간다
그는 허공을 천직이라 여기고
중력을 살살 풀며 벽을 칠한다
그 아래로 여름의 시민들은
지상을 평화롭게 걷는다
작업복에 진한 노을이 물들면
그는 지상으로 조심스럽게 중력을 내린다
좀처럼 날지 않는 도시의 비둘기는
떨어진 중력들을 부지런히 쪼고

벽은 비로소 날개를 단다

바람의 문신

망우역엔 흰밥눈이 날리고 있다

한 사내가 제 몸만 한 배낭을 메고 지나간다
단추를 맨 위까지 채웠지만
그의 배고픔은 길에 떨어지고 있다

눈은 봄을 알리는 듯
바닥에 내리자마자 땅을 적시고
역전 공터에는 일 없는
1.5톤 트럭이 밥때를 기다리고 있다

그가 흘리는 무심한 눈빛과
바람에 밀려 다시 오르는 눈발들의 아우성
얼굴에는 잦은 바람의 문신이 새겨지고 있다

쓸쓸함이 구두 굽 소리에 의지해서
주상복합 건물 앞을 걸어가고 있는 저녁
창들은 꼭대기까지 문을 닫는다

밤이 되면

그는 상봉 지하도에 박스를 깔고

배낭에서 먹다 남은 소주병과

담요 같은 꿈을 꺼내

봄으로 가는 잠을 청할 것이다

배부른 슬픔만 짊어진 나의 잔등에도

눈은 부딪치고

그는 짐을 이고 걸어가고 있다

뼛속에 박힌 연필심

고양사회복지관 창문에
어둠이 빽빽하다
글쓰기 수업을 듣는 할머니들
자, 사물에 말을 걸어 보세요
무슨 개뼈다구 같은 소리여
걸어 온 길은 까마득한데
연필심은 힘을 줄 때마다
쓱싹, 신음소리 내다 부러지곤 한다
시꺼먼 가슴을 추슬러
흰 종이에 말을 심는다
수전증에 걸린 듯
글씨는 삐뚤빼뚤하고
살아 온 얘기는 비장한데
변비에 걸린 듯
마른 꽃씨 하나둘 간신히 심는다
뿌린 씨앗들이 무슨 꽃을 피울꼬
정성스레 밭고랑 같은
문장 한 줄 두 줄 쓴다

뼛속에 박힌 연필 심心이

들국화 한 송이 키우는 밤이다

장인

나무는 죽어서도 소리를 간직한다

K 씨는 소리를 깎는다
나무에 저장된 소리를 깎는다

K 씨는 나무가 나무였을 때가 다 사라진 후에야
진짜 소리가 태어나는 순간이라 했다

K 씨는 아교로 바람과 빛과 소리를 붙인다
쉽게 이해할 소리는 아니다

손은 소리의 형상을 기억하고 있다

K 씨는 가끔 여행을 위해 가벼운 소리를 깎는다
소리는 빈손으로 왔다 빈손으로 가는
나그네라 했다

어떤 소리는 나이테에 박힌 옹이처럼

슬픔이라 했다

K 씨는 종일 빗소리를 깎는다

여름 바둑

바둑은 손으로 말을 합니다

바둑판은 말이 없고

느티나무도 훈수 없이 지켜만 봅니다

백 다음에 흑이 둘 차례입니다

바둑은 한 수도 무를 수 없고

형국은 손안에서 달그락거립니다

검은 돌이 흰 돌을 끊어 시비를 겁니다

바둑판엔 대마가 위태롭고

손은 부채질하기 바쁩니다

왼손으로

어쩌다 오른 손톱만 깎지 못했다
왼손이 오른손한테 미안하다
오른 손금 사이로 살의 무덤들이 볼록하다
요즘 들어 손가락에 쥐가 나는 것은
오른손의 반기는 아닌지
왼손은 머리 감을 때나 밥 먹을 때나 게으르지만
오른손은 죽도록 일만 하고
양심과 욕망 사이에서 시달렸다
나쁜 짓 하다 걸리면 왼손은 모른 체해도
오른손은 막상 죄를 뒤집어썼던 행동대장
왼손은 심심해서 젓가락질하지만
언제나 먹고 싸는 일은 오른손 차지다
곱상하게 생겨 시계와 반지까지 차고
남에게 선보이기는 왼손의 몫
이런 미안함을 조금이라도 깎으려고
발톱과 왼손을 깎은 오른손의 노고를
왼손으로 정성 들여 깎는다

경배의 머리

비둘기는 저녁 하늘을 좀처럼 날지 않고
땅을 향해 고개를 끄덕인다

망우역 광장은 미세먼지가 자욱하고
비둘기 떼가 먹이를 쪼고 있다
하나는 절뚝거리고
회색 모자를 쓴 여자는
먹이를 뿌리고 있다

저녁이 더 저녁이 되면
사람들은 비둘기의 구역을 피해
귀가하고
만 원에 세 마리 하는 통닭집 확성기와
왕왕거리는 자동차 소리에 맞춰
비둘기는 고개를 연신 끄덕이고 있다

방음벽에 걸린 현수막은
유해한 비둘기에게 먹이를 주지 마세요

버젓이 경고하고 차들은 위태롭게

로터리를 돌고 있는데

비둘기는 독수리 타법으로

거리는 먹을 것이 많다고

지상의 메시지를 타전하고 있다

비둘기는 저녁을 날지 않고

성북동 옛날 번지수*를 찾기라도 한 듯

망우역 시계탑을 향해

경배의 머리를 굽신거린다

* 성북동 옛날 번지수 — 김광섭의 '성북동 비둘기'에 나온 것으로 문명개발
이전의 산 번지수를 말함.

슬픔의 단어들은 죽는다

간호사는 혈관을 쉽게 찾지 못한다 팔뚝에서 검붉은 일기 한 장을 찢는다고 생각했다 피에 기록된 가난이나 청춘은 쉽게 해독되지 못할 것이다 오래된 사랑의 피딱지는 기록되어 있을까 채혈된 피는 유독 진하다 기다림으로 인해 피는 피를 낳는다

아버지는 술을 먹은 다음 날엔 몹시 우울하다고 했다 술이 우울을 부른 것인지 우울이 술을 부른 것인지 피는 물보다 우울했다 핏속에 기록된 실향의 아버지, 아직 집에 도착하지 못한 아버지의 걸음에서 나를 읽는다 피가 자꾸 줄어드는 사람이 있다 살이 빠지고 나이를 먹는 것은 슬픔이 마르는 것이라 생각했다 대신 그 사람은 눈물이 많아졌다

심장에 가까운 왼팔에서 피를 뺀다 피 한 방울 나지 않는 바늘이 피를 읽는다 심장과 허파의 비밀을 담고 노출을 꺼리는 색, 바늘은 단 한 번의 침투로 나를 읽고 휴지통에 버려진다 피의 가독성을 노리는 세상의 척도, 간호사는 나의 일상을 수치로 환산해 놓을 것이다

피를 회전기에 돌린다 심장처럼 그리워하지 않으면 슬픔의 단어들은 죽는다 오랫동안 피는 세상을 읽고 나를 읽었다 잠복한 통증을 찾기 위해 피를 뽑는다 알리고 싶지만 끝내 알릴 수 없었던 선홍빛 기록들, 세상의 수치들 사이를 떠돈다 벌써 창밖에 꽃잎이 날린다

달을 향해 망우터널로

밤의 표정이 보고 싶어 현관을 나서니

그림자가 벌써 앞장선다

어둠과 바람을 소맷처럼 섞은 밤,

창들은 불을 켜고 낮의 일상을 복기하는 중이다

수산 횟집 건너 돼지껍데기집 앞에선

술 취한 여자가 바짝 마른 남자에게 욕을 한다

바람은 날을 세워 귓바퀴를 노리고

제과점의 빵들은 눈물 젖은 한때를 모른 척한다

중앙 버스 정거장 머리숱이 적은 소나무는

자결할 준비가 되어 있다

발등만 바라보는 등나무집 가로등

앞서거니 뒤서거니 따라붙는

그림자 생각은 제법 검다

독거의 겨울나무를 묵독하는 바람

반려견처럼 따라다니는 그림자에게

나태했던 나의 낮을 고백하니

다세대 건물 위로 달은 팔광처럼 밝다

하루치의 폐휴지를 주운

빈 리어카는 방음벽 아래 잠들어 있고
용문행 전철은 도시의 고달픈 노동을 싣고
달을 향해 망우 터널로 들어간다

백화점

브랜드는 개연성보다는 허구가 필요하다 스타벅스 앞에서 대기표를 받고 줄을 서면 백화百貨의 일원이 된다 가격에 따라 감정의 지수는 오르내린다 에스컬레이터는 감정을 담은 쇼핑백을 쉴 새 없이 나르고 아직 구매하지 못한 외로움을 위해 구두를 신어 본다 마네킹은 익명의 감정을 위해 몸의 일부를 생략한다 이런 불경기에는 고독도 할인이 되고 눈, 코, 입이 없는 슬픔이 상징적으로 전시되어 있다 기다란 거울에 품이 좁은 우울을 비춰본다 와이파이는 무제한의 그리움을 제공하고 각종 색상의 발랄함과 자본의 전지전능함이 동시에 구비되어 있는 곳, 너무 새로워서 나를 잊게 하는 브랜드를 무표정한 카드로 주문한다 자본은 끊임없이 감정을 견고하게 가공한다 자전의 무료함으로 멋진 시계를 만들었고 지층의 오래된 눈물로 다이아몬드를 만들었다 화려한 조명이 사방에서 각색의 감정을 비추고 사람들은 브랜드와 브랜드 사이를 유목민처럼 맴돈다 맨 위층 식당가에는 외상으로 쇼핑을 마친 사람들이 앉아 있다

건널목

실내 TV 경마장에서 나온 마권들이 건널목 앞에 모여든다. 돈 잃은 자들의 시선이 신호등에 잠시 멈춘 도시의 여름, 승객을 태우지 못한 버스는 불량한 공기만 교체하고 출발한다. 여름은 플라타너스의 그늘로 도시의 우울을 버틸 일이다. 빨간불에 통제당한 중앙선 버스 정류장 소나무가 말라간다. 간밤의 열대야를 장전하고 머뭇거리는 구름은 혹은 2분 동안 바라보는 건너편의 간격은 바람의 지침에 위배되는 것이다. 건너편 스마트폰 대리점에서 버르장머리 없이 튀어나오는 케이팝의 소란들, 전두엽에 저장된 질주의 본능과 아스팔트의 집열판이 대치되는 백주의 신기루, 기다리지 않는 2분 동안의 기다림이 줄어들고 있다. 오로지 신호등만 응시하는 팔짱 낀 말들은 건너편 마권의 표정을 응시하며 출발점에 서 있다. 우연의 간격이므로 당분간 서로 바라볼 뿐, 여름은 누추한 등산복을 입고 낙마한 어깨로 건널목 앞에 모여 있다.

양곤*의 그늘

나무는 뿌리에서 그늘을 끌어 올린다

양곤의 그늘에선 피 냄새가 난다

까마귀는 나무에 열린 그늘을 쪼고

거대한 나무 아래 누운 개들은

털에 묻은 그늘을 핥는다

그늘은 낮이면 나무에 열렸다가

밤이면 안남미처럼 허공으로 흩어진다

개들은 부자들이 버린 그늘을 뒤진다

간혹 버르장머리 없는

까마귀를 참지 못하고 짖는다

사람들은 그늘 밑에서

태양을 숙성시킨 맥주를 마신다

나무는 사계절 그늘을 만들고

그 아래 그늘을 쓸고 있는

샨족 출신의 종업원

사원의 표정을 닮은 까마귀와

남자들의 치마가 점점 익숙해지는 오후

망고나무 아래서 새만 그리는

화가에게 그림을 선물 받는다

저녁이 되고

까마귀는 나무의 그늘 한 점을 물고

사원의 탑을 지나 건널목을 무시하며

밤의 구역으로 날아간다

나무는 그늘을 접기 시작한다

* 2005년까지 미얀마의 수도.

연탄 돼지 갈비집

　이 집에 오면 주인장은 친절하게 돼지갈비를 직접 굽고
잘라서 내온다

　이 집에 오면 찌그러진 양푼의 순두부가 먼저 시장기를
달래는 것과 3인분에 2만 원 하는 돼지갈비의 노릇한 맛과
연기도 자르고 시간도 자르는 주인의 현란한 가위질보다는

　이 집에 오면 돈 많이 벌면 집에 갈 것 같은 동남아 언니
들의 눈빛들이 더 눈에 끌린다

　이 집에 오면 뜬금없이 연기에 그을린 한국말을 소주병
처럼 놓고 가는 동남아 언니들 나라가 우리나라 도와주던
때를 생각하게 된다

　이 집에 오면 아줌마라 불렀다가 언니예요 정정 당한 말
한마디가 귀에 맴돈다

유통기한

유통기한 지난 두유를 딸과 함께 먹었는데 딸만 급하게 응급실을 찾았다. 먹은 거 다 토하고 열은 높은데 늑장 부리는 의사한테 나는 소리치다 대기실로 쫓겨난다. 근심 어린 겨울 외투들이 침대 주변을 서성이고 시간은 링거액처럼 떨어진다. 자동문은 바람에도 반응하듯 쉼 없이 열리고 닫히고 환자를 내린 응급차가 어둠을 불빛으로 겁박한다. 딸의 혈색이 다시 유통기한으로 간신히 돌아올 무렵, 한숨 돌린 보호자는 대기실 너머 불빛 환한 장례식장을 본다. 밤보다 진한 상복을 입은 상주들이 남은 슬픔에 담뱃불을 붙이고 있다.

제2부
내가 본 풍경과 슬픔의 내력

중랑천

이별은 만남의 역순
얼음이 녹고 있다

새들의 북진과
뚝방을 지나치는 차들

바람은 마른 억새의 빈속을 어루만지고
수락산에 머물렀던 겨울이 흘러가고 있다

너의 발목을 잡았던 얼음의 이유를
이제 놓으려 한다

내일서 부는 바람

바람이 내일서 불어오고 있다
풍경 소리에 고양이는 전나무 숲으로 숨는다

극락사 기와는 목탁 소리처럼 단정하고
약수터는 부적합의 등급에도 노을이 찾아 든다

자목련은 앞뒤가 달라도 봄빛이 완연하고
조팝나무의 흰 소란에 바람이 흔들린다

처마의 풍경은 내일을 흠모하고
오늘의 불심은 약수터에 고인다

전나무 가지에 붉은빛은 걸려 있고
소리는 공이요 풍경은 색이라

오늘에 달린 눈먼 물고기가
내일서 부는 바람에 흔들리고 있다

봄밤의 초과수당

제1교무실에 오릅니다 초승달이 백합나무 끝에 걸려 빛을 충전하고 있습니다

여백의 미를 살려 초과수당 한 줄만 씁니다만 먼저 다녀간 이름들이 지층처럼 쌓여 있습니다

밤은 깊고 창은 운동장을 향해 빛을 쏘고 있습니다 스마트폰을 확인하니 아내한테 온 화살표가 하늘 방향으로 꺾여 있습니다 봄을 체크한 출석부를 학급함에 넣습니다

현관을 나서면 목련은 흰 블라우스를 입고 밤을 유혹합니다 어둠에 충혈된 꽃잎은 밤을 한 칸 더 엽니다 담배 피러 간 황 선생은 필터까지 바짝 봄을 태우는 모양입니다 꽃을 열어 예민해진 목련은 늦장 부리는 봄을 탓합니다

내일은 달의 왼편에 가려져 있고 청량리에서 넘어온 미세먼지가 가로등의 시야를 흐립니다 목련 때문에 환한 운동장은 고독하고 녹황관 창문은 아직 고3 학생들을 밤의 인

질로 잡아두고 있습니다

봄이 초과수당 한 줄 쓰는 밤입니다

숲속 도서관

도서관은 코로나19로 대출이 중단되고
밖에는 반납함만 우체통처럼 서 있다
나는 나무로 읽는 책과
책으로 읽는 나무 사이를 서성이고 있다
읽다 페이지를 접은 문장들은
벌레먹은 나뭇잎처럼 무성했다
도서관의 창문은 꺼져 있고
운문을 닮은 비가 바람에 날렸다
뒤뜰에는 산문을 닮은 대나무들이 의연했다
나무들은 여름의 물관을 내리는 중이다
도서관 주차장엔 빗물이 고여 있고
우산은 빗소리를 흠뻑 저장한다
슬픔을 대출하지 못하는 도서관
바람은 나뭇잎을 소리 나게 읽고 있다
나는 책의 반납을 미루고
당분간 연체료를 물기로 한다

고독에 모래주머니를 차다

발목에 모래를 차고 망우로를 걷는다. 무거워진 다리는 길을 또박또박 읽고 고독은 그림자처럼 따라붙어 도시의 걸음 속으로 합류한다. 길은 갈등 없는 사소설처럼 흐른다. 전지 당한 플라타너스는 도시의 적나라한 음모를 보여주고 고독은 민달팽이처럼 집을 나와 집으로 걷는 중이다. 길을 걸으면 어느새 길은 생각 속으로 들어와 고독해진다. 모래를 차고 걷는 일은 고독을 단련시키는 일일 지도 모른다. 고독은 빨간 신호등에 잠시 쉬지만 파란불은 이내 발길을 재촉한다. 중랑구와 동대문구에 걸쳐 있는 이화교에 오른다. 난간에서 내려다본 잉어들의 직립은 고독하다. 고독해지려는 장미의 가시처럼 벤치에 앉아 흘러가는 중랑천의 고독한 시간을 본다. 바람은 서쪽으로 불고 있다.

채무자들

나들이 공원 반달은 마른 가지에 걸려 희미한 담배 자국
을 감춘다 지난 달 쇠진한 왼쪽 어둠은 내일의 빛을 복구하
고 있다

나는 달에게 빛의 수신료도 주지 못하고 늘 빌리기만 했
다 마음이 허전할 때 달빛을 꾸러 가면 달은 거절한 적이
없이 그의 품을 내주었다 언젠간 달빛을 갚을 때가 있으리
라 생각하며

오랜 빚 같은 달빛의 주위를 둘러보니 앉아 본 적 없는 십
이지 석상은 달빛에 절어 있고 사철 푸름에 지친 소나무들
도 기품을 저당 잡히며 달빛을 대출받고 있다

공원 화장실 옆에는 나이트클럽 광고차가 잠시 홍보를
끄고 달빛을 충전하고 불 꺼진 관리실 창문은 곁눈으로 달
을 훔쳐보고 있다 농업박물관 구석엔 불법 주차한 세단의
선팅 창은 이미 달과 밀애 중이다

그 와중에도 벗나무는 모든 꽃잎을 열어 달빛을 수신하고 그 옆에서 하릴없이 빛의 수신료를 내는 가로등은 그러니까 달의 하수인 노릇을 하고 있다

삼해주*를 빚으며

하얀 고두밥을 채반에 넌다

누룩은 뜨거우면 죽는다

고두밥에 거품이 핀다

만남에는 오해가 있기 마련

뚜껑을 덮어 밥알 터지는 소리를 닫는다

거품을 다스리는 것은 오히려 거품이다

마트에선 살 수 없는 시간을 기다린다

가끔은 뚜껑을 열고 국자로 휘젓지만

지금은 너와 나의 말들이 옷을 벗는 중

이러기를 세 번은 더 해야 한다

* 삼해주: 술이 된 이후에도 누룩과 밥을 다시 덧넣기를 돼지 일 돼지 시에
세 번 더 하는 경기지방의 고급 전통주이다.

까치밥

새들은 아직 저녁으로 돌아오지 않고 있다
바람을 장전한 구름이 서쪽으로 급히 가고 있다
단조로 붉어진 홍시
노을은 천장산에 걸려 있고
주름 많은 나무는
작년보다 울음이 줄고
슬픔이 늘었다

해당화

　바람을 찍는다. 바람은 술래처럼 보이지 않고 화면에 남는 건 수평선과 붉은 꽃잎, 해안에 가면 바람은 귀가 없고 꽃은 입이 없고 벼랑은 발이 없다. 이별한 얼굴은 홍조를 띤다. 꽃말이 바람결에 눈을 뜬다. 해안은 그리움과 원망이 무성한 곳, 벼랑은 바람으로 아찔하고 네 안에는 뛰어내리기 위험한 높이가 있다. 해안으로 가는 길에 붉은 꽃이 있다. 하고 싶은 말은 "이끄시는 대로", 떨어질 꽃이 한참 멋을 부리고 있다. 파도가 맹목적으로 부서지고 있다.

미사리

물이 고이면 그늘이 깊어진다

오리들이 시간을 그으며 지나간다

경정 시합은 없으니

물은 조용히 바람을 경청한다

물 위에 햇살은 왁스처럼 빛나고

경정의 상처는 꽃그늘로 모인다.

물은 구름을 들여 꿈을 꾸고

나무 그림자도 물속에 잠긴다

까마귀가 억새밭으로 급히 난다

언젠가 그대와 같이 와본 곳

물은 물을 양식한다

경정의 상처가 잔잔히 봉합되는 동안

벚꽃은 수면으로 투신하고 있다

황금낮달맞이꽃

꽃은 낮이 되자 다시 등롱을 건다

중천의 해는 달을 가리고

괴곡리 아낙들은 산 중턱에서 마늘을 캔다

비탈보다 더 경사진 아낙들의 허리

검은 개가 구름을 보고 짖는다

청풍호에 수몰되었던 우체국이

유골처럼 드러나고

약초꾼은 문패를 거꾸로 달고 집을 비웠다

낚시꾼들은 그늘에서 나와

쏘가리를 위해 태양을 미끼로 건다

구담봉에 가뭄이 들면서

드러나는 물의 허연 기억들

해가 지자 달은 등롱을 접는다

백합나무

피보다 진한 토마토 주스를 먹습니다. 장마라고 하기에는 빗줄기는 피해망상에 걸린 듯 시들하네요. 천문에 관한 시집을 읽다가 창문에 걸린 비 때문에 읽다 만 페이지를 접습니다. 토마토가 병에 담길 수고와 그다음의 내력을 공상합니다. 오늘이 먹다 남긴 주스의 분량으로 고여 있습니다. 빗줄기가 약해지고 어제 그녀가 남기고 간 습기만 잔뜩 무성합니다. 그녀가 연출한 세월은 소금 없이 먹은 닭똥집이었습니다. 오랜만에 만나 목선의 주름보다는 믿음직한 손등을 마음 붉히면서 훔쳐보았습니다. 말하는 동안 비에 젖은 구름이 괜히 떠올랐습니다. 그녀의 말은 수식어를 약간 변경했을 뿐 십 년 전과 별반 차이가 없었습니다. 며칠 후면 구름은 다시 햇빛에 마를 것이지만 지금은 약해진 빗줄기를 바라보는 나의 뒤편이 궁금합니다. 교무실 옆 키가 큰 백합나무는 빗물을 자습하고 있습니다. 창문에 맺힌 회한을 토마토 주스처럼 후딱 비우지 못하고 있습니다.

서빙고

철길은 한강을 따라 뻗어 있다

언 강물을 네모나게 잘라

서쪽 빙고에 보관했겠지

빙고, 봄비가 내린다

유람선은 강가에 묶여 있고

버드나무는 유연하게 황사를 쓸고 있다

전선과 비의 합선이 염려되는

봄의 플랫폼엔

겨울을 저장하고 싶은 마음이 있다

전철은 오후 세 시를 지나간다

입추

우체국에 와서 너에게 소포를 부친다

왼쪽 위에는 나를 쓰고

오른쪽 아래에다 너를 적는다

여름의 봉인을 풀어 줄 등기 우표는

오른쪽 위에다 붙인다

누런 소포는 우체국 통 속에 던져진다

내가 할 수 있는 일은 여기까지

봉투라는 네모난 마음

꼬창

호수와 같은 바다는 일말의 허세도 없다
배는 침묵을 찢으며 섬으로 가고 있다
햇빛에 물결은 간유리처럼 시력을 잃는다
바다제비는 바람 한 점 없는
물의 표면에 무공해 쉼표를 찍는다
물의 내면은 시력보다 청력에 민감했다
수평선에서 보내온 파도가
와이파이처럼 뱃전에 잡힌다
뭉게구름은 피곤한 여정을 씻는다
당분간 육지는 잊기로 하고
배는 무인 섬으로 가고 있다

* 꼬창: 태국의 한 섬

처서

중랑천 족구장 그물엔
여름의 깃털들이 걸려 있다
억새는 여태 날지 못하고
바람은 매점에 잠시 머문다
물결은 햇살을 한강으로 나르고
군자교는 두 시와 세 시 사이에 놓여 있다
둔치는 오래된 물의 기억
물의 속도는 생각을 추월하지 않는다
뚝방의 아파트가 물에 비치고
오늘은 쑥부쟁이도 선명하다
홍수가 쓸고 간 화단은 공사 중이다
바람에 친절히 답하는 물결과
벤치에 잠시 쉬어가는 오후
여름을 범람했던 뉴스들은 어디로 갔나
사람들은 다시 중랑천을 걷고
왜가리는 정중하게 물을 탐색한다

명옥헌

겨우내 땅에서 사과를 찾는 나무는

물구나무를 서고 있다

햇살에 마루는 삐걱거리고

계절을 벗은 배롱나무의 붉은 가지는

안간힘을 다해 비탈을 잡고 있다

이 백 년 동안 느티나무는

선비처럼 연못만 들여다보고

창호는 밤낮으로 바람을 읽는다

나는 결국 방문을 열어보지 못하고

비탈을 내려왔다

제3부

사물과 내통하기

나비

4월 푸른 봄볕 가득한 운동장에서 여고생들이 배구를 하고 있다 여기는 점수도 없고 손에 잡힌 우연이 공의 주인이다 노랑과 흰색이 섞인 공은 흰 손과 흰 손을 흘러 다닌다 여학생들은 손바닥으로 봄볕을 받아친다 웃음소리가 튀밥처럼 공중에 터진다 패자도 승자도 없는 웃음꽃은 가득한데 체육 교사 목에 걸린 호루라기는 햇빛에 반짝이고 네트 위로 배구공이 이리저리 춤을 춘다

용대리

러시아 베링해에서 잡힌 명태는
속초에서 배를 갈라 내장을 빼고
용대리로 넘어와
미시령 계곡에 담겼다가
한 쌍의 명태가 황태가 되는 동안
질긴 비닐 끈에 매달려 있다
너의 무게가 나의 무게가 되는 동안
머리보다 큰 입으로 바람을 먹는다
겨우내, 밤이 달빛에 얼고
햇빛에 낮이 녹는 동안
바람은 언살 깊숙이 스며든다
왕특대 황태가 되기 위해
머리보다 큰 입으로 눈을 먹는다
눈알이 물빛에서 흙빛으로 되기 위해서는
기다림은 더 있어야 한다
겨울은 바다에서 육지로 가는 길
설악의 겨울이 얼고 있다

내가 너에게 가는 길이 그랬다

거실에는 시간이 사는 어항이 있다

창문 너머 망우역은 마지막 기차를 기다리고 있다. TV에는 대합실처럼 거실의 시간들이 모여 산다. TV는 디지털 시간을 먹는 어족들이 사는 곳, 전원을 누른다. 계절은 봄밤이고 리모컨은 물고기 사냥을 나간다. 한 채널은 다른 채널의 꼬리를 물고 문다. 이진법은 빛과 어둠의 숫자여서 오히려 화려한 색을 만든다. 가끔 리모컨 숫자에 걸린 배우들이 격한 감정으로 파닥거린다. 강태공의 낚시처럼 리모컨은 시간을 낚기 위해 시간을 떡밥으로 던진다. 채널과 채널 사이를 멋대로 왕래하는 리모컨은 시간이 바닥이 나도 시간의 손맛 때문에 잠들기 힘들다. 어쩌다 리모컨이 소파에서 떨어진다. 시간의 내장 같은 건전지가 왈칵 쏟아진다. 그제서야 리모컨은 텔레비전을 끈다. 검은 어항에 어둠이 고이고 비로소 시간이 충전되는 순간이다. 내일의 어족들이 대사를 외우는 시간이다.

초파리와 나초칩

초파리가 집 어딘가에 터를 잡고 있다. 밥을 먹거나 과일을 먹으면 불법이 어디선가 허공을 열고 나온다. 그의 길은 공중이다. 공중에 덫을 놓을 수는 없는 노릇, 그가 앉을 때를 노린다. 누가 불법인지 시비를 따질 겨를도 없이 손으로 내리치면 그는 순간이동을 한다. 그의 적자생존은 신문지로 손바닥으로 그를 때려잡는 나의 DNA 염기서열과 닮았다. 나의 생각이 생각을 낳듯 초파리의 하루는 쉴 새 없이 하루를 낳는다. 그를 잡기 위해 인터넷을 뒤져 초파리 잡는 맥주를 만든다. 나는 사냥의 기쁨에 들떠 남은 맥주 한 잔에 나초칩을 먹는다. 이런, 오라는 데는 안 오고 허무하게 내가 먹는 맥주에 어느새 한 마리 빠져 죽었다. 슬픔 없이 날아다니는 그의 길을 본다. 나는 그를 불법이라 부른다.

나무 인간

그는 집에 돌아와도 말을 하지 않는다. 종일 말을 하는 직업이다. 저녁을 먹은 후 가죽 소파에 들어가 물소가 되어 티브이를 본다. 주로 '나는 자연인이다'를 보는데 진정한 시청자는 보이지 않는 것을 보는 것이라 생각한다. 아내의 잔소리가 각다귀처럼 따갑지만 너그럽게 대한다. 이미 양쪽 귀는 서로가 내통하고 있다. 감정을 표현하라는 가족들의 성화에 잠시 말을 꺼내지만 동사와 명사가 뒤바뀌면서 이내 침묵한다. 티브이에 싫증이 나면 그는 자기만의 책으로 들어간다. 문자들은 실어증에 걸려 있어 책을 읽으면 자연 잠이 온다. 밤이 되면 그는 손과 발에 푸른 잎이 돋는 꿈을 꾼다. 어둠을 호흡하는 이파리의 검은 생각이 바람에 일렁인다. 잠을 자는 동안, 그는 나무의 광합성을 꿈꾸지만 입은 산소를 흡수하고 이산화탄소를 뱉는다. 밤이 깊어지면 지구의 도움이 되지 못한 그의 이파리를 밤벌레들은 갉아 먹기 시작한다

구해줘 홈즈

망우동으로 오기까지 아이들 미래 때문에 집을 몇 번 바꿨다. 아이들은 자라 성인이 되고 나의 집은 세월이 흘러 추억들은 점차 각 방에 가득 들어찼다.

비둘기는 주상복합 건물 사이로 두 시에서 세 시를 향해 난다. 아무도 없는 거실에 햇빛이 들면서 오래된 가구들은 불온한 생각을 한다.

거실을 맨발로 걸으면 장식장 유리문이 가볍게 떤다. 대낮의 가구들은 거리에서 만난 가족처럼 나를 낯설게 대한다. 침묵은 소파 밑에 쌓이고 가구들은 오래된 나를 바꿀 음모를 세운다.

집은 낡고 무거워 이사할 여력이 없는데 아내와 아이들은 이사 갈 꿈을 꾸고 있다. 이럴 즈음, 나는 오래 사귄 물소 소파에 들어가 숨고 나를 달래기도 하지만 아내와 아이들은 새로운 집을 구해주는 티브이 프로를 즐겨 본다.

구름이 회색으로 풀어지는 토요일

오래된 양복

장롱에서 버릴 양복을 고른다
한동안 새벽을 함께 걸었다
구일산서 회기동까지 출퇴근했던
좀 먹은 시간에서 나프탈렌 냄새가 난다

색바랜 어깨가 축 처져 있다
인천서 깨어난 퀭한 잔등과
택시를 잡지 못해 늦은 밤을 서성이며
양손을 감싸 주던 바지 주머니

감청색은 달빛을 좋아했다
밤이 깊도록 알전구 아래
참교육의 깃을 세우고
술잔 부딪치며 개폼 잡았지

양복은 오랫동안 구일산 터미널의
시계처럼 고독하게 걸려 있다
버스를 기다렸던 그 새벽 같은

밖에 날씨는 좋습니까?
낡은 양복의 사정을 아는지 모르는지

꽃잎은 갈래갈래 날리고
나무는 부지런히 새 옷을 입는다

나는 미완의 꿈을 큰 쇼핑백에 구겨 넣는다

Marking

냄새에도 품격이 있는 것일까

개가 코를 앞세우고 전봇대로 간다
한참을 킁킁거리다 그 위에다
뒷발을 들고 오줌을 싼다

개는 다녀간 냄새들 사이
사랑했던 냄새를 구별했거나
동경했던 냄새에 복종이라도 하듯
혹은 잘난 냄새들 사이로
자신의 존재를 표시하는 것일까

밤이면 취객들도 호기롭게 동참한
냄새들의 납골당

개는 묵념이라도 하듯
앞서간 냄새들 앞에
정중하게 다리 들어 오줌을 헌납하고

비로소 주인의 목줄을 따라간다

전봇대는 꿈쩍하지 않고
그림자만 잠시 빠져나온다

러닝머신 위의 시

돌고 돌아도 도는
고독,
길을 누른다
나는 거울을 향해 걷지만
결국 거울 속의 나에게는
도착하지 못할 것을 알고 있다
빛의 속도로 걸으면 거울 속
나에게 도착하련만
거울 속 나를 향해
늘 같은 길을 걷는 나는
반쪽은 보여지고
반쪽은 본다
시간을 걷는 것이 지루해
스마트폰서 시를 꺼낸다
걸음에 맞춰 시를 읽다 보면
길은 어느새 몸으로 들어와
두 다리는 시의 행간을 걷는다
그래도 언젠간 도달할 것 같은

거울 속 나를 위해

시를 읽고 나를 읽는다

까딱하다간

미끄러질 수도 있는 길이다

타투

플라타너스는 온몸에 바람을 새깁니다

여름의 팔뚝은 테이프를 붙이기도 합니다
비밀과 노출은 한통속입니다

마음을 지운다는 것이 오히려 새기는 것입니다
용의 꼬리는 걸상의 모서리처럼 순해졌습니다

1년 유급한 그 애는 팔에 잎맥 같은 칼자국을 그었습니다
무엇을 새겼는지 차마 물어볼 수가 없었습니다

살에다 그린 감정은 평생 데리고 가야 할 것 같습니다

이파리가 독하게 물드는 팔월
마음에 그리다 지운 얼굴이 있습니다

소낙비가 오늘같이 바늘처럼 찌르는 날은
마음을 지운 자국이 파랗게 변합니다

어둠이 먹물처럼 퍼지는 저녁입니다

팬데믹에 걸린 집

집은 자가격리 중이다

냉장고에서 김치찌개를 꺼내 어제를 되새김질한다 겨울
창문은 두꺼운 뽁뽁이로 덧붙여 있다 밤이면 창문에서 이
불 같은 어둠을 꺼낸다

세탁실에서 소주를 꺼내 코비드로 격리된 우울을 달랜다
앉은뱅이 달력에 낮달처럼 걸려 있는 아버지의 생일을 본
다 티브이 뒤통수가 뜨거워 끄면 허공을 날던 불안이 잠시
먼지처럼 가라앉는다

변기는 물을 머금고 바다를 공상한다 물을 내리면 바다
의 그리움은 하수구를 따라 상상의 여행을 한다 먹다 버린
음식은 냉동고에서 미완의 슬픔으로 얼어 있고 온라인 수
업으로 학생들은 이름만 걸고 얼굴은 도형으로 처리된다

강추위에 무력해진 나는 발톱을 깎고 창문 틈새로 스펀
지를 끼운다 한 번도 바뀐 적이 없는 아파트 호수를 찾아

택배는 간간이 찾아오고 하루가 거실의 빛을 거두어 갈 무렵, 핏기 없는 전화 소리가 방문 틈으로 새어 나온다

집은 점점 나를 닮아 간다

등고선을 읽는 밤

자습실에 앉아 지도 맵을 켠다. 북한산을 검색한다. 산을 요약하고 있는 등고선, 나무의 나이테처럼 이유 있는 간격이 있다. 등고선을 가로질러 정상으로 가는 길. 곳곳에 새 알 같은 봉우리를 품고 있다. 노적봉을 지나 다람쥐 할머니 멋모르고 쫓아갔다고 아찔했던 만경대를 지나 백운대에 오른다. 정상은 원래 그렇다는 듯 텅 빈 원을 품고 있다. 주말이면 지피에스 켠 심장들이 등고선을 오를 것이다. 간혹 촘촘한 등고선을 올라가는 위험한 사내가 있다. 이마에는 등고선 같은 짙은 주름이 있다. 같은 중력으로 이은 산의 엑스레이, 선들은 저의 높이를 드러낼 뿐 서로의 간격을 배려한다. 사계절 변함없는 무표정한 선. 그 속으로 철심 박은 듯 사패산 터널이 지나간다. 밤은 깊어가고 나는 산을 끈다. 학생들은 내가 다녀온 산을 알지 못한다.

나무의 온도

본관 온도계 앞에 서니 다행히 아프지 않은 온도가 찍힙니다. 백합나무에 남은 잎의 온도가 낮아졌습니다. 대신 햇살이 따뜻해졌습니다. 나무는 물관을 닫고 늦가을 내내 나무 온도를 내립니다. 그리고는 나이테 한 문장 기록하겠지요. 학교 지킴이가 정문에서 공사 트럭의 온도를 잽니다. 고3 전국 학력평가 봉투의 봉합 테이프를 뜯으니 수학 문제들은 저체온증에 걸린 듯 표정이 없습니다. 학생들 절반은 벌써 쓰러져 있네요. 창문 너머 천장산 나무들은 지나온 시간들을 다 떨어뜨리고 겨울을 맞이할 것입니다. 문제를 풀지 않고 답만 찍는 습관은 나무의 온도를 배워야 할 것 같습니다. 학생들의 잠의 온도가 궁금해지는 날입니다.

졸업사진

벗꽃이 앞을 다투어 피었다 꽃이 지기 전에 오늘은 벗꽃 아래에서 졸업사진을 찍었다 마스크를 벗으니 아이들 얼굴이 마저 피었다 공부보다 즐거운 꽃놀이, 사진은 얼굴을 잡느라 찰칵, 얼굴은 사진을 잡느라 활짝, 꽃놀이보다 즐거운 인생, 벗나무는 질투라도 하듯 꽃이 파르르 떨어진다

날개 빠진 셔틀콕

사회자는 죽은 문장을 읽는다. 배드민턴 클럽은 자체대회를 열어 죽은 자에게 공로패를 준다. 그는 자동차 추돌 사고로 한 여자의 중력을 놓고 하늘나라로 갔다.

그의 이름은 아직 페이스북에 떠돌고 여자는 이동 뷔페 접시에 우울을 담는다. 수식어 없는 소주의 감정을 마신다.

허공중에 걸린 콕은 새가 되어 날다 중력에 떨어진다. 여자의 슬픔은 연습용 콕처럼 당분간 재활용된다. 콕을 무수히 날린 그의 공로를 헌사하는 일요일 오후

중력을 이기지 못한 비가 내린다.

어떤 문상

바람이 몹시 부는 날

슬픔은 KTX를 타고

횡성 상가에 간다

코로나에 걸릴까 사람들은

마스크 쓰고 숙연하게 문상을 하는데

고인의 영정은 코로나 별거냐는 듯

마스크 없이 내내 웃는다

상주와 인사를 하고 식탁에 앉는다

죽음을 모를 것 같은 기쁨은

먼저 와 자리에 앉아 있다

고인이 베푸는 육개장과 머릿고기를

먹기 위해 슬픔은 마스크를 벗는다

기쁨은 말을 걸며 소주를 권한다

건배는 눈치가 보이므로

슬픔은 요령껏 자작을 한다

슬픈 표정을 짓지 못하는

기쁨이 아무래도 어색하다

슬픔은 아직 이승에 있을 이유를 생각하며

어찌 보면 영정의 표정 같은

기쁨에게 술 한 잔을 따른다

밥과 술이 차니

슬픔은 죽음을 비우고

기쁨 몰래 마스크를 쓰고 일어나

상주에게 인사를 한다

어느새 기쁨도 같이 가자고

슬픔을 따라나선다

삼각은 외롭다

비가 오는 늦은 밤
배가 고파 편의점을 찾는다
삼각김밥 달랑 하나 남아 있다
내일이면 폐기처분 될 삼각김밥은
누군가를 몹시 기다렸을 것이다
바코드를 읽는다
틱 소리와 함께 외로움을 끊고
삼각은 내게로 온다
비는 내리고
컵라면에 뜨거운 물을 붓는다
굳은 표정을 풀고 금세 흐물거리는 면발
늦은 밤의 허기를 달랜다
삼각의 옆구리 끈을 당기니
바다의 김과 육지의 하얀 밥이
비닐 하나 사이로 각방 쓰다가
지금에서야 만난다
주상복합 창들은 각자도생으로 빛나고
주차장 입구에는 검은 고양이가

비를 털고 있다

어둠은 유리창에 가득하고

보이지 않는 두께를 사이에 두고

나는 삼각김밥을 먹고

너는 까만 밤을 응시하고 있다

제4부

오, 추억의 가족과 나

가을에

형제들이 소리를 모아

보청기 하나 해드렸다

놀이터 낙엽 지는 소리도 듣고

창가에 달빛 돋는 소리도 담으라고

돌아온 소리는 반가운데

어머니 잔소리도 돌아오고

아버지 욱하는 소리도 따라왔다

돌아온 소리에 소음도 따라와

어머니는

귀 안에 귀뚜라미 한 마리

사는구나 하신다

오래된 중력이 앉다

　미래척추교정원 밑 커피점엔 음악이 낮게 흐른다 소리도 중력에 걸린 것일까 아내의 허리 치료가 끝나기를 기다리며 스마트폰에서 퇴고 중인 시를 꺼낸다

　시를 보면서 중력과 척추가 만나는 직립의 고충에 대해 생각해 본다 중력을 극복한 커피 향기가 실내를 떠돈다 꺼내 본 내 시의 중간 요추 3번과 4번이 수상하다

　햇살에 외투의 앞 단추가 풀리고 완강히 직립을 거부하는 의자들, 아내의 척추는 많이 휘었다고 한다 휘는 것이 정상이지 휜 나무가 근사하지 않은가 의자에 삐딱하게 앉은 내 척추가 한마디 하는 오후

　기다리는 동안 바리스타는 한 잔의 위로를 내린다 커피를 뽑듯 시를 척척 만들 수는 없을까 음악은 가사를 실어 무겁게 흐르고 어느새 들어 온 청춘들은 중력에 무관심하다

　실내를 흐르는 노래 가사에는 이별과 눈물의 협착증세가

있다 슬픔과 슬픔 사이에는 오래된 중력이 남아 있다

　아내의 치료는 오래 걸리고 직립보행 하다 잠시 의자에
걸쳐 있는 아내의 구겨진 외투를 본다

가족사진

아이들의 어린 사진이 웃고 있다
식탁 벽에 걸린 사진은 여태 울지 못했다
제주도 벼랑을 배경으로 찍은 거라
겁먹은 웃음이지만 지금까지
우는 세월 모르는 철없는 웃음이다
복도 벽에 아내와 같이 찍은 약혼식이 있다
젊음의 시간이 늙음을 상상하고 있다
그윽한 눈빛이 늙음을 그리워한다
결혼을 화창한 봄날로만 생각하는
순진한 흑백의 웃음이다
거실 중앙에는 늘그막에 다시
결혼복 입고 찍은 사진관 사진이 있다
사진관은 어쩌자고 오십 대에 결혼복을 입혔을까
웨딩드레스가 나비넥타이 팔을 꼭 잡고 있다
사진을 보노라면 공복에 막걸리처럼
시간은 아련해지고
과거는 현재를 그리워하고 있다
행복하기 위해 입술에 힘을 주고 있다

동광 극장

전곡에 있는 포병 아들 군대 면회 갔다가 위수지역 끄트머리 동두천으로 극장 구경 간다

극장은 아직도 백오 밀리 똥포인데 세계의 경찰 아이언맨 3을 상영하고 있다

반달의 매표구는 오래된 추억을 팔고 주인아저씨는 표 팔고 오징어 팔고 청소하고 아이언맨처럼 만능이다

눈썹 없는 잉어들은 유통기간 지난 시간을 삼켰다가 뱉는다

영화는 최신 개봉인데 선과 악이 지루하게 싸우고 스토리는 아이언맨 수트처럼 빨라서 나는 속도에 매달려 곡사포가 된다

오래된 의자는 삐꺽거리고 미끄러워서 깜빡 졸다 보면 허리는 사거리에 걸린 '미군 부대 철수 결사반대' 현수막처럼 엉거주춤 앉아 있다

11월

대학 자취방으로 가는 딸애의 가방은 무겁다. 플랫폼 너머 은행들은 부쩍 이파리가 줄고 가을은 춘천행 기차를 기다리고 있다. 긴 나무 의자에 놓인 가방은 전공 서적과 겨울 스웨터가 담겨 불룩하고 석양에 그림자가 길다. 차가워진 바람에 메모지 같은 은행잎이 떨어진다. 급행 때문에 늦어지는 완행, 손님 없는 플랫폼 자판기는 석양에 골몰하고 한때 석탄을 부렸던 망우역 철길은 비어 있다. 단풍에 물들어 집으로 귀환하는 배낭들, 경로 우대증을 받은 가을은 어느새 겨울로 가는 기차에 무임승차를 기다린다. 햇살이 무말랭이처럼 말라가는 저녁, 가방에는 일주일 치의 밑반찬이 있다.

건어물집 누렁이

금촌 시외터미널 앞, 누렁이는 배 깔고 누워 악골 큰외삼촌 집에 마실 간 엄니 오기만을 기다렸다. 하루 종일 제멋대로 동네를 쏘다니며 때가 되면 들어와 밥을 먹고 미역 진열단 아래 들어가 잠을 잤다. 집을 나가 어디서 무슨 짓을 했는지 털이 빠지기도 했다. 엄니가 북어 대가리 넣고 죽을 끓여주었더니 누런 털이 돌아왔다. 비싼 대구포를 훔쳐먹다 아버지한테 가끔 노가리 꼬챙이로 맞았다. 밖에서 돌아온 어느 날은 목에 피부병을 달고 왔다. 불쌍해서 멸치를 집어 주었더니 허겁지겁 잃어버린 며칠을 먹었다. 목에 피부병이 심해져 결국 개장수한테 팔렸다. 목줄에 묶여 끌려가는데 자꾸 되돌아보던 파래김 같은 눈은 아직도 내 어린 시절의 얼굴을 핥고 있다.

봉천동

까까머리 고등학교 시절 나는 슬레이트집에서 외할머니와 텃밭과 함께 살았다. 사춘기의 대부분은 텃밭이 베푸는 밥상을 받아먹었다. 북극성 같았던 대통령이 총을 맞던 그해, 외할머니는 텃밭의 벌레 먹은 배추로 김장을 담갔다

군대를 다녀온 작은 외삼촌은 다락방이 유난히 컸던 그 집을 부수고 벽돌 양옥집을 지었다 담장 밑으로 간신히 밀려난 텃밭에는 매년 장마와 흰 눈이 다녀갔고 대파는 여전히 터줏대감 노릇을 했다. 복실이는 외할머니한테 꼬리가 잘려도 텃밭을 뭉개며 잘 지켜 주었다

나는 교회에서 만난 여학생과 시커먼 물이 흐르는 개천을 걸으며 파주 시골집에서 가져온 미군 부대 씨레이션을 나눠 먹기도 했다 만남은 텃밭의 푸성귀처럼 오래가지 못하고 금세 시들해졌다

흰 눈이 내리고 내가 대학 근처로 방을 옮길 무렵, 작은외삼촌은 장가를 들어 외숙모를 맞이했다 외할머니는 자개장

십장생처럼 부엌방에서 오래 살고 싶었는데 파주에 사는
큰외삼촌 집으로 방을 옮겼다 나는 그 뒤로 봉천동에는 다
시 가지 못했다

어떤 계기

지금에사 말하지만, 국민학교 때 자전거를 훔친 적이 있다 부모님은 시골에 있었고 나는 서울 봉천동 외할머니집에서 가회동까지 학교를 다니고 있었다 자전거가 있으면 왠지 시골집까지 갈 수 있을 거란 생각을 했다

이후 나는 훔치는 것들이 늘었다

하굣길 버스를 타면 엔진 앞자리에 앉아 가회동에서 봉천동까지 거리의 풍경을 훔쳤고, 같은 반 은혜의 하얀 손을 훔쳤고, 학교 대신 봉천동 만화방서 시간을 훔쳤고, 외삼촌 방에 꽂힌 소설책 주인공의 연애를 훔쳤다

며칠 후에 훔친 것이 두려워 아침 일찍 자전거를 그 자리에 놓고 도망쳐 오는데, 엄마의 그리움을 놓고 오는 것 같아 여러 번 뒤돌아보았다

세상 사는 지식을 훔쳤다면 좀 더 떵떵거리며 살 텐데 자전거를 훔친 죗값을 톡톡히 치르 것 같다

낮달

중화역 전깃줄에 구름이 걸려 있고

그 사이로 엄니 무릎 관절이 간신히 보인다

노란 참외 하나

구름은 부엉이처럼 하늘에서 꿈쩍하지 않았다

그날 금촌역 다방에서 그가 마지막으로 보여 준 청산가리는 염소똥보다 작았다. 나는 독의 명성을 익히 알고 뺏으려고 몸싸움을 하였으나 그의 가난한 호주머니는 완고했다. 그는 소주 한 병과 노란 참외 하나를 사서 누런 종이봉투에 담았다. 농담이었다고 며칠 후 노량진 학다방에서 만나자고 동공이 반쯤 닫힌 말을 남긴 채 그는 서울 가는 기차를 탔다.

부엉이처럼 머리가 크고 쌍꺼풀 눈을 가진 그는 이틀 후장흥 유원지 산길에서 지나가는 행인에 의해서 발견되었다. 그의 주변에는 먹다 남은 참외와 쓰러진 소주병이 자리를 지키고 있었다

죽은 사람들의 죽음에 관한 책만 읽었던 그는 그해 여름청도 과수원에서 일한다고 편지를 보내왔다. 나도 여름방학이어서 청도로 갔다. 마지막 여행지였던 속초는 그의 고

향이었다. 신흥리 솔밭에서 우리는 차비만 달랑 남기고 깡소주에 마른오징어를 씹었다. 그는 국도의 밤을 걸으며 두 손을 모아 부엉이 소리를 냈다.

학다방에 그가 나타나지 않자 우리는 먹구름이 잔뜩 낀 수유리 산동네 집을 찾아갔다. 가파른 길을 오르는데 갑자기 소나기가 쏟아져 동네 슈퍼 차양 밑으로 잠시 비를 피했다. 신출내기였던 스무 살 장발들은 차양 위로 무섭게 떨어지는 구름의 눈물을 들었다

나는 가끔 부엉이의 가난한 소리를 흉내 내곤 한다

낙타의 눈물

낙타의 다큐를 본다
사막을 종일 건너온
낙타는 새끼에게 젖을 주지 않아
가끔 굶어 죽게 한다고 한다

몽골인들은 어미 낙타가
새끼에게 젖을 주지 않으면
마두금을 들려줘 눈물을 흘리게 한다
그제서야 낙타는
새끼에게 젖을 먹인다

밤이 깊어
집에 오려고 본가를 나서려는데
연로한 엄니는 어쩌자고
눈물부터 흘릴까

절반의 밥

어둠이 수염처럼 돋아나는 저녁
아내는 마감 조라 늦은 시간 귀가하고
딸은 대학교 기숙사에 있고
공시생 아들은 독서실에서 저녁을 해결한다
냉장고에서 찬밥을 꺼내 레인지에 돌리니
밥의 기억이 돌아왔다
멸치볶음은 반이나 남아 있고
양념 김은 플라스틱 통에 담겨 있다
스마트폰서 아침에 읽다 만
찬 뉴스를 다시 꺼낸다
어제의 반찬들이 일기처럼 식탁에 모이는 저녁
쇠고기 한 조각을 볶아 중앙에 놓는다
밥은 씹을수록 러시아 장편소설처럼
단물이 고인다
목에 걸리는 생각을 위해
흐물거리는 무나물을 곁들인다
식탁에 어른거리는 내 그림자를 위해
절반의 밥을 던다
창밖엔 어둠을 먹은 달이 뜬다

신축생

드라마를 보다 아내 몰래 눈물을 훔친다

옛친구 이름보다 냉장고에 반병 남은 소주를 기억한다

폭주보다 매일 조금씩 먹는 게 더 나쁘다는 말은

아내가 만든 유언비어로 간주한다

내일이었던 오늘이 어제를 향해 기울어가는 저녁

밤의 혼령한테 으레 빈 컵을 갖다 놓는다

거실의 과묵이 친근하다

세월은 태어나 한 바퀴 돌아왔다는데

소주 한 잔 채우면서 다음부터는

절주하겠다는 뻔한 다짐을 소처럼 되새김질한다

창문 앞의 대형마트가 방해하고

어제 넌 빨래가 오늘 수분을 빨아들인다

절

임진각 철조망 앞에
가져온 음식을 차려 놓고 절을 한다
아버지를 따라 절을 한 지 40년이 넘는다
아들과 딸도 함께 절을 한다.

아버지는 북에 두고 온 부모 형제를 생각하며 절을 하고
나는 통일을 염원하거나
애들 대학이나 취직을 소원하며 절을 하곤 했다
아이들은 뭘 바라며 절을 하는지 물어보지 않는다

명절만 되면 저절로 철조망 앞에
아버지가 절을 하는 것은
기름진 음식을 혼자 먹기 미안한 탓일까

구십이 넘은 아버지
이제는 무릎을 꿇지 못하고
철조망처럼 머리만 숙인다

생목의 결 사이로

나무의 영혼 냄새가 풍겨왔다
목재 실은 트럭 앞을 지날 때
네모나게 잘린 생목의 결 사이로
나무의 한 생이 빠져나오고 있다

살아서 산비탈에 맞서
번개와 비바람 맞거나
햇살과 달빛으로 위로받거나
산짐승 울음소리 먹고 살았던 향기가
나무의 기억에서 빠져나오고 있다

지금은 팔려나갈 때이다
나무는 나무를 벗고
솜씨 좋은 목수 만나
지식을 간직하는 종이가 되거나
누구의 외로움을 달래는 의자로 앉거나
멀리 나간 식구를 부르는 식탁으로 서거나
먼 그리움을 여는 창문으로 다시 산다

나는 나를 벗고 또 다른 무엇으로 살 것인가

그날 나무의 향기는 목재를 빠져나와

퇴근하는 나를 그림자처럼 따라왔다

나무는 죽어서도 또 다른 생을 산다

사이(in-between)의 미학과
그 사이에서 복원되는 기억들

염선옥

사이(in-between)의 미학과
그 사이에서 복원되는 기억들

염신옥

(문학평론가)

1. '사이'에 존재하는 것들의 조화

강준모의 시는 주체와 대상 '사이'에 위치한 물질·비물질
에 관한 사유를 응축한 결실이다. 주체는 최초의 대상에서 시
작하여 방사선으로 확장해가면서 주변의 것들과 '관계 맺음'
을 시작하는데 이는 사유의 확장 방식을 그대로 빼닮았다. 시
인은 주체와 대상 사이에 존재하는 주변물과 주변인이 이루는
균형과 조화를 미학적으로 그려나가면서 자신만의 시력詩歷

을 생성해나간다. 그는 주체가 응시한 대상의 미를 자주 말하는 시인들과 달리 주체와 대상 '사이'에서 '중력'의 영향을 받는 것이 이루는 조화야말로 주체가 바라본 최초 대상을 더욱 돋보이게 하는 데 힘을 보태고 있음을 말하는 시인이다. 그의 시선은 사유가 점선에서 시작되어 실선이 되어가고 방사선으로 확장해가며 보편성을 깨달아가는 사유의 방식을 담고 있는 것이다. 자전거를 응시하던 주체는 이내 "보이지 않는 틈"(「미니벨로」)을 살피고 그곳에 있어야 할 '바람'을 생각하기도 한다. "중력에 매달려/ 벽을 칠"하는 페인트공에게서 시작된 주체의 시선은 페인트공의 위로 "밧줄에 팽팽히" 맞선 사이에 "검은 새 한 마리,/ 바람을 끌며 벽 너머로 날아"가는 모습과 그 아래로 "지상을 평화롭게 걷는" 여름의 시민들을 배치하며 "중력을 내"(「날개 달린 벽」)리는 페인트공의 조화로운 모습을 사유하며 펼쳐내기도 한다.

물론 시인은 주체와 사물 사이 존재하는 물질과 주변물에 대하여 일방적인 긍정이나 부정을 감행하지 않는다. 그는 페인트공의 지난한 삶을 함부로 예단하지 않고 그가 이루는 조화와 미학적 균형을 발견하는 데 골몰한다. 이러한 시인의 질박한 진술은 삶의 균형과 조화를 꾀하려는 마음이 시 전체를 관통하는 보편적 속성이라는 것을 전해준다. 성적으로 위계화되는 학교에서도, 주체는 "점수도 없고 손에 잡힌 우연이 공의 주인이" 되는 운동장에서 배구를 하는 여고생들을 응시한다.

"패자도 승자도 없는" 공간에서 "튀밥처럼 공중에 터"(「나비」)
지는 '웃음소리'에 주목하는 시인에게서 우리는 그가 추구하
는 바를 금세 알아챌 수 있다. "중화역 전깃줄에 구름이 걸려
있고// 그 사이로 엄니 무릎 관절이 간신히 보인다"(「낮달」)
라고 말할 때에도, 시인은 대상에게 건너가지 못한 미안한 마
음을 하나의 의미로 탄생시킨다. "우체국에 와서 너에게 소포
를 부"칠 때 "왼쪽 위에는 나를 쓰고/ 오른쪽 아래에다 너를 적
는다 …(중략)… 내가 할 수 있는 일은 여기까지/ 봉투라는 네
모난 마음"(「입추」)이라는 표현에도 쉽게 간과될 수 있는 '사
이'에 대한 안타까움이 담겨 있는 것이다.

　이처럼 '사이'의 사유는 시인의 의식 이면에 흐르는 고통과
갈등이 조화와 균형 배면에 내재해 있음을 보여준다. "감정을
표현하라는 가족들의 성화에 잠시 말을 꺼내지만 동사와 명사
가 뒤바뀌면서 이내 침묵"(「나무 인간」)하는 것은, 균형과 조화
를 위해서 주체가 드러내는 삶의 태도와 의식의 결과인 셈이
다. 이처럼 그의 시는 시인과 분리되지 않고 의식의 흐름을 반
영하고 있는데, 말하자면 시인은 '사이'에 존재하는 것들의 조
화, 거스를 수 없는 존재의 생명과 소멸, 대상과 주체 사이에
건너지 못해 결코 완벽하게 도달하지 못하는 '마음'의 한계를
자신의 언어 안에서 세련되게 운용해가고 있다.

2. in-between

강준모의 시는 사이(in-between)에 관한 사유로 충만하다. 시집에 수록된 60여 편의 시는 어떤 하나의 개념과 의미로 꿸 수 없는 '사이'가 시인을 에워싸고 있는 모습을 보여준다. 어쩌면 '사이'에 관한 사유 자체가 시인이 추구하는 삶의 철학이자 세계를 바라보는 태도일지도 모른다.

중랑천 족구장 그물엔
여름의 깃털들이 걸려 있다
억새는 여태 날지 못하고
바람은 매점에 잠시 머문다
물결은 햇살을 한강으로 나르고
군자교는 두 시와 세 시 사이에 놓여 있다
둔치는 오래된 물의 기억
물의 속도는 생각을 추월하지 않는다
뚝방의 아파트가 물에 비치고
오늘은 쑥부쟁이도 선명하다
홍수가 쓸고 간 화단은 공사 중이다
바람에 친절히 답하는 물결과
벤치에 잠시 쉬어가는 오후
여름을 범람했던 뉴스들은 어디로 갔나

사람들은 다시 중랑천을 걷고

왜가리는 정중하게 물을 탐색한다

—「처서」전문

롤랑 바르트는 『밝은 방 ― 사진에 관한 노트』에서 푼크툼 punctum이 스투디움studium을 압도한다고 말한 바 있다. 그가 사진의 본질에 관하여 언급할 때 등장한 이 개념들을 운위하는 것은, 시인이 바라본 장면이 명료한 이미지로 인화된다는 점에서 사진과 유사한 원리를 띠고 있기 때문이다. 스투디움은 보편적이고 공동체적인 의식과 관계하는 의례 등을 지시하는 콘텍스트context이고, 푼크툼은 어떤 설명으로도 규정할 수 없는 강렬한 무언가를 함의한다. 한 장의 사진을 얻기 위해 오래 투시하고 현상을 하듯 시인은 하나의 문장을 위해 암실과도 같은 내면에 투신하여 한참을 사유한 후 응축된 결과물을 길어 올린다. 사유의 결과물이라는 점에서 시는 푼크툼과 밀접하게 관계가 있다. 시인 개인에 따라 이접移接하고 연접하는 소재가 다르게 마련인데, 특히 강준모의 시세계는 '사이'의 철학이자 분배받지 못한 것을 분배한다는 점에서, 그리고 그 소재들의 위계화를 포기하고 동일한 가치로 계열화한다는 점에서 스투디움적이라고 볼 수 있다.

위의 작품은 바로 그 '사이'의 철학을 가장 잘 드러내고 있다. 주체는 "중랑천 족구장 그물"에 걸려 있는 "여름의 깃털들"

을 응시한다. 이어 "여태 날지 못하"는 억새를 향한 시선은 "매점에 잠시" 머무는 바람을 향하고, '군자교'와 "햇살을 한강으로 나르고" 있는 물결을 향한다. 주체의 시선은 머무르지 않고 바람처럼 물의 수면처럼 계속 흘러간다. 시인은 "뚝방의 아파트"와 "쑥부쟁이"를 응시하고 "홍수가 쓸고 간 화단"으로 시선을 계속 옮겨간다. 주체는 중랑천을 걷는 사람들과 "정중하게 물을 탐색"하는 왜가리로 시선을 옮겨 마침내 한 장의 사진을 현상한다. 시인의 시선은 하나의 소재를 독해하는 방식이 아니라 풍경을 인화하는 방식으로 '사이'를 사유한 것이다. 결국 시인이 지니는 감정의 균형은 세계를 파탄에 빠트리지 않겠다는 의지인 셈이다. 이는 어디에도 포섭당하지 않겠다는 사유를 말하고 푼크툼을 뒤집어 배면을 보여주겠다는 의지도 포함한다. 그의 시는 종종 '시적인 것'을 비판하며 위계화를 선언하고 시적인 것으로 인한 무질서와 혼돈을 용인하지 않는다. 그러나 시인은 푼크툼이 아닌 스투디움적, 시적인 것을 섞어 시적 판단을 유보하여 새로운 감각을 선보인다. 그것은 스투디움을 관통하는 것은 주이상스적인 푼크툼일지도 모른다. 거기에는 '찔린 자국'이자 '작은 구멍', '작게 베인 상처'로서 고요한 물결에 파문을 일으키는 충격과 동요가 자리하지 않는다. 그러나 '사이'의 철학은 구경꾼으로서의 사진작가를 위치해둔 바르트처럼 감각의 나눔을 독자의 '몫'으로 할당하는 방식일지도 모른다. 이처럼 모두가 부분에 집중할 때 그 부분을 둘러싼, 은폐된 '사이'의 미학을 밝히는 것이야말로 강준모의 시세계가 아닐까 한다. 푼크툼을 부재하게 함으로써 부재로서의 존재를 드러내는 방식으로 그는 푼크툼을 재현하고 있는 것이다.

페인트공은 중력에 매달려
벽을 칠한다
그의 직장은 바람 위에 지은 허공
그 위로 중력을 비운 구름이 떠 있다
막대 의자는 밧줄에 팽팽히 맞서고

검은 새 한 마리,
바람을 끌며 벽 너머로 날아간다
그는 허공을 천직이라 여기고
중력을 살살 풀며 벽을 칠한다
그 아래로 여름의 시민들은
지상을 평화롭게 걷는다
작업복에 진한 노을이 물들면
그는 지상으로 조심스럽게 중력을 내린다
좀처럼 날지 않는 도시의 비둘기는
떨어진 중력들을 부지런히 쪼고

벽은 비로소 날개를 단다

— 「날개 달린 벽」 전문

이 한 편의 시는 강준모가 세계를 이해하는 방식을 더욱 잘
보여준다. 이 시에서도 주체는 '그'를 중심으로 펼쳐진 '사이'
의 풍경을 보여준다. '그' 너머의 풍경은 단순한 기교나 논리
의 차원을 넘어 주체가 인식하는 사유의 장으로 다가온다. 모
두가 사물 하나에 집중하고 말할 때 풍경이 되는 모든 것을 호
명하는 것이 마치 알랭 바디우가 '공백'을 말하는 것과 유사하
다. 다시 말해 강준모의 시적 범주는 영토화되지 않은, 시적으
로 사유되지 아니한 것을 말하는 방식으로 시적 영토를 메꾸
어나간다. 「날개 달린 벽」에서 "벽을 칠"하는 페인트공의 직
장은 "바람 위에 지은 허공"이다. 그는 "밧줄에 팽팽히 맞서고"
있는 막대 의자에 앉아 있다. 시적 주체는 페인트공을 둘러싼
"바람을 끌며 벽 너머로 날아"가는 "검은 새 한 마리"를 주목하
고 "지상을 평화롭게 걷는" 여름의 시민들을 응시한다. 시인
이 사유하는 '사이'는 세간의 주목을 집중시킬 정도로 돋을새
김하지 않는다. 그러나 그의 사이에 관한 사유는 분열하며 증
식하면서 익숙한 것들 사이에서 생성된 새로움이 구체적 영토
를 이룬다. 사이를 감각하는 것은 "떨어진 중력들을 부지런히
쪼"는 일이고 "중력에 매달려" 허공을 천직이라 여기며 "중력
을 살살 풀며 벽을 칠"하는 일과 같을 것이다. 강준모 시인은

'중력'과 관계한 '사이'를 이렇게 자주 감각한다. 그는 "중력을 극복한 커피 향기가 실내를 떠"도는 곳에서 슬픔과 슬픔 사이에 "오래된 중력"(「오래된 중력이 앉다」)을 감각한다. 그렇다면 강준모 시인에게 '중력'이란 과연 무엇일까? 사회를 지탱하지만, 실체가 없이 출몰하는 어떤 미학적 속성이 아닐까? 도덕적 판단이 유보된 사회에 매달린 젊은이들에게 뿌리를 내리게 하는 미학적 차원의 것들 말이다. 모든 문학적 글쓰기가 삶에 근거하지만, 강준모 시인은 삶과 예술 행위가 구분이 안 되게 만들어버리고 있다. 삶 자체가 예술 행위이면서 동시에 예술 행위가 그의 삶이 되어버리는 것이다. 이는 근대 예술 행위가 차이를 없애면서 서로 연접과 이접 사이에서 새로움을 창출하고 있는 것과 같다. 삶이 예술 행위가 된다는 것은, 삶을 감각적 나눔 속에 배치하는 일이며 삶과 예술을 일치시켜 나가는 주체화(becoming)의 과정이라고 할 수 있을 것이다.

3. 감각적 나눔과 몫, 그리고 보편성을 획득하는 관계 철학

강준모의 시는 자전적 세계에 구축한 보편적 사유의 구조물로 2022년 노벨문학상을 수상한 아니 에르노의 작품과 상당히 닮아 있다. 그의 시세계가 에고픽션ego-fiction 혹은 오토픽션auto-fiction 등 다양하게 문학적으로 변주되어 명명되는 형식을 따른다는 의미이다. 그러나 그의 시는 아니 에르노의 소

설을 감상한 후 따르는 윤리적 판단과 감각적 판단을 불러일으키지 않는다. 시인의 경험에 상상력을 덧대는 과정이 특정 결과로 귀속되지 않기 때문이다. 시인은 주체와 사물의 사이에 고인 풍경을 제시하여 감각의 나눔을 위한 몫을 남길 뿐이다. 가끔 시인의 시공간에 쏟아져 흐르는 어떤 인상은 고통스럽고 당혹스러우며 도덕적 판단을 유보하게끔 한다. 주체는 "술 취한 여자가 바짝 마른 남자에게 욕을"(「달을 향해 망우터널로」) 하는 이유를 상상하지 않고 "혈관을 쉽게 찾지 못"(「슬픔의 단어들은 죽는다」)하는 간호사를 비난하지 않는다. 먹이를 비둘기 떼에게 뿌리는 "회색 모자를 쓴 여자"(「경배의 머리」)가 궁금하지 않고 "단추를 맨 위까지 채"우고 "제 몸만 한 배낭을 메고 지나"는 '한 사내'가 떨어뜨리는 배고픔(「바람의 문신」)을 동정하지 않는다. "상봉 지하도에 박스를 깔고/ 배낭에서 먹다 남은 소주병과/ 담요 같은 꿈을 꺼내/ 봄으로 가는 잠을 청할"(「바람의 문신」) '그'에 대해서도 시인은 어떠한 긍정과 부정을 섞지 않고 있다. 이렇듯 강준모의 시세계는 근원과 주체가 파괴된 채 어떤 중심도 없는 장으로서, 사물과의 대상이 맺는 방식을 서술함으로써 관계들이 완성하는 예술로 등장한다. 시적 주체가 부재한 것이 아니라, 시적 주체가 주체 중심의 판단을 내리는 것이 아니라, 오롯이 독자의 몫으로 감각을 나누고 있다는 의미이다.

그는 집에 돌아와도 말을 하지 않는다. 종일 말을 하는 직업이다. 저녁을 먹은 후 가죽 소파에 들어가 물소가 되어 티브이를 본다. 주로 '나는 자연인이다'를 보는데 진정한 시청자는 보이지 않는 것을 보는 것이라 생각한다. 아내의 잔소리가 각다귀처럼 따갑지만 너그럽게 대한다. 이미 양쪽 귀는 서로가 내통하고 있다. 감정을 표현하라는 가족들의 성화에 잠시 말을 꺼내지만 동사와 명사가 뒤바뀌면서 이내 침묵한다. 티브이에 싫증이 나면 그는 자기만의 책으로 들어간다. 문자들은 실어증에 걸려 있어 책을 읽으면 자연 잠이 온다. 밤이 되면 그는 손과 발에 푸른 잎이 돋는 꿈을 꾼다. 어둠을 호흡하는 이파리의 검은 생각이 바람에 일렁인다. 잠을 자는 동안, 그는 나무의 광합성을 꿈꾸지만 입은 산소를 흡수하고 이산화탄소를 뱉는다. 밤이 깊어지면 지구의 도움이 되지 못한 그의 이파리를 밤벌레들은 갉아먹기 시작한다

—「나무 인간」 전문

　결국 시인을 버티게 하는 힘은 무엇일까? 주체는 집에 돌아와도 말을 하지 않는다. 종일 말을 하는 직업을 가지고 있기 때문이다. 감정을 표현하라는 가족들의 성화에 잠시 말을 꺼내지만 동사와 명사가 뒤바뀌는 상황에서 그는 이내 침묵하고 만다. "밤이 되면 그는 손과 발에 푸른 잎이 돋는 꿈을" 꾸고, "나무의 광합성을 꿈꾸"고 있다. 그가 주로 '나는 자연인이다'

를 보는 것으로 보아 그는 주체가 세계와 일치하는 하나의 풍경이 되고 싶어 한다는 것을 알 수 있다. "여름은 플라타너스의 그늘로 도시의 우울을 버"(「건널목」)티고 "계절을 벗은 배롱나무의 붉은 가지는/ 안간힘을 다해 비탈을 잡고 있다."(「명옥헌」)

나아가 강준모의 시세계는 주체 철학을 탈각하고 관계 철학을 지향하고 있다. 세계의 중심이 주체에서 벗어나 선형적으로 배열되고 있다. 그는 하나의 풍경을 이루는 '나무 인간'을 꿈꾸며 세계의 중심에서 물러나 큰 세계의 일원으로 편입한다. 고유성을 획득하기보다 보편성을 얻어가면서 중심 철학에서 벗어나 관계 철학을 향해 나아간다. 강준모의 시는 자전적 예술이 확대된 결과물이라도 거창한 세계사적 현상이나 변화, 집단의 가치를 담아내지는 않는다. 그러나 분명 삶의 무수한 사건을 통해 존재 철학을 논한다는 점에서 그의 시는 충분히 미학적이다. 그에게 존재는 시간과 공간을 장악한 자봄가 아니라 세계 속에 놓인 'in itself'의 존재이며 시의 시공간을 이루는 존재로 놓여 있다. 그 존재는 주어진 시간 속 파편과 질료를 통해 시대를 파악하고 있다는 점에서 그에게 시는 시인 내면의 사유 결과가 된다. 물론 시는 시인에게 주어진 고유한 상황이나 사건과 관계를 맺고 있다는 점에서 개인적이고 자전적인 기록이다. 그래서 시인이 내세우는 다양한 주체에 따라 사건들이 고유하고 특수한 인생 행로로 일목요연하게 펼쳐진다.

시인은 개인의 특색과 독특한 문법을 발견해가며 보편성보다
는 고유성과 특수성이 시간 안에서 구해짐을 역설한다. 몇몇
시인들은 시적 계보를 이으면서 동시에 시사詩史에 획을 긋는
새로움을 창출하는 데 골몰하지만, 강준모의 시는 자연적 존
재로서 인간을 전경화함으로써 삶과 죽음을 인간의 것으로만
전유하지 않는다.

　　결국 강준모의 시는 '저자 없음'에 도달한다. '저자 없음'은
시의 토대를 이루는 언어와 존재에 대한 깊이 있는 사유가 보
편성에 도달했음을 의미한다. 나만의 개성과 시그니처가 아닌
내게 내재된 모두의 속성임을 밝히는 것이다. 예술에서는 종
종 개성과 특질 그리고 특정한 개념은 한 예술가의 시그니처
signature가 되어 작가는 불멸하게 된다. 그러나 들뢰즈는 그
러한 불멸의 방식에 질문을 던지면서 '저자 없음'을 선언한 바
있다. 자신이 사용하는 무수한 것들이 기실 이미 존재해왔던
것이며 자신이 탈영토화 · 재영토화한 것일 뿐이라는 겸허한
태도는 강준모 시인이 질료들과 맺는 관계의 미학에서 엿볼
수 있다. 들뢰즈 · 가타리는 『천(개)의 고원』에서 "우리들 각
자는 여럿이었기 때문에, 이미 많은 사람이 있었던 셈이다. 우
리는 가장 가까운 곳에 있는 것에서부터 가장 먼 곳에 있는 것
까지 손에 닿는 것이면 무엇이든지 이용했다."라고 표현한 바
있다. 이는 자신들의 이름을 통해 기록된 '고원'의 자산이 기
존 수많은 저자들이 점유했던 것임을 밝히는 셈이다. 이는 들

뢰즈와 가타리가 점유하여 고유한 개념과 시그니처가 된 사유와 용어들이 기실 저자들이 이미 존재하며 자신들이 연접하여 탈영토화하며 이접하여 재영토화하고 '고원'을 이룬 것이 바로 『천개의 고원』임을 밝힌 것이다.

이처럼 한 개인과 존재의 개념과 사유가 보편성을 획득하기까지 유구한 세월의 중력이 뒤따르며 수많은 저작이 연접과 이접이라는 지지와 반대 사이에 살아남아야 한다. 그리고 보편성을 획득할 때 비로소 저자를 넘어선 '저자 없음'의 영역으로 편입되는 것이다. 폴 비릴리오Paul Virilio가 『전쟁학』에서 전쟁에 관한 이야기를 하면서 사용한 '전쟁 기계' 개념이라든가, 프랑스 전위예술가 앙토냉 아르토Antonin Artaud(1896~1948)가 사용한 '기관 없는 신체(Corps sans organe)'라는 고착화되지 않는 것, 문자 그대로 몸만을 이야기 한 것인데, 들뢰즈와 가타리에게서 일반적 의미, 어떤 시스템과 체제에만 고착화되지 않는 방식으로 그 사유가 탈영토화되고 접속되어 새로운 의미가 생성된 것이다. 들뢰즈・가타리에게 '저자 없음'은 자신들이 사유하는 모든 개념이 창조된 것이 아니라 접속을 통해 새로운 의미가 창출되었음을 의미한다. 이들의 개념은 새로운 사건에서 새로운 의미로 재탄생된 셈이다. 시 역시 제한된 시간과 공간 속에서 점유된 기존의 시어들이 탈영토화되고 시인의 장소와 시간에 접속되어 재영토화되는 과정에서 탄생되어 새로움을 담게 된다.

사이를 사유하는 강준모 시인의 시는 접면接面을 발견하는 사건과 의미를 함축한다. 들뢰즈의 말처럼, 서로 다른 성질에 해당하는 전선이 만나 천둥과 번개 같은 엄청난 사전들이 터져 나오듯 다질多質의 계열들 사이에 소통이 일어나면 이러한 온갖 종류의 귀결들이 따라 나오게 된다. 그렇게 강준모의 시는 '사이'에서 조화를 이루는 물질과 비물질의 공간적 역동성으로 가득 차 있고 우리에게 깊은 공명을 던지는 세계라고 할 수 있을 것이다. ▨

| 강준모 |

1961년 서울에서 출생했고, 경희대학교 국어국문학과 및 동대학원을
졸업했다. 2017년 『창작21』로 등단했으며, 시집으로 『오래된 습관』
이 있다. 경희여자고등학교에서 국어 교사로 재직하고 있다.

이메일 : kj903ys@hanmail.net

현대시 기획선 087
슬픔의 단어들은 죽는다

초판 인쇄 · 2023년 7월 20일
초판 발행 · 2023년 7월 25일
지은이 · 강준모
펴낸이 · 이선희
펴낸곳 · 한국문연
서울 서대문구 증가로 31길 39, 202호
출판등록 1988년 3월 3일 제3-188호
대표전화 302-2717 | 팩스 · 6442-6053
디지털 현대시 www.koreapoem.co.kr
이메일 koreapoem@hanmail.net

ⓒ 강준모 2023
ISBN 978-89-6104-338-0 03810

값 12,000원

* 잘못된 책은 바꾸어 드립니다.